EL DIARIO DE

Lerdus Maximus

EL DIARIO DE

Lerdus Maximus

TIM COLLINS

B DE BLOK

Barcelona • Madrid • Bogotá • Buenos Aires • Caracas • México D. F.
Miami • Montevideo • Santiago de Chile

Título original: *Diary of Dorkius Maximus*
Traducción: Roser Ruiz
1.ª edición: marzo 2014

© Buster Books 2013
© Ediciones B, S. A., 2014
   para el sello B de Blok
   Consell de Cent 425-427 - 08009 Barcelona (España)
   www.edicionesb.com

Publicado por primera vez en el Reino Unido en 2013 por Buster Books, un sello de
Michael O'Mara Books Limited, 9 Lion Yard, Treamdoc Road, London SW4 7NQ

Printed in Spain
ISBN: 978-84-15579-60-1
Depósito legal: B. 1.840-2014

Impreso por QP PRINT

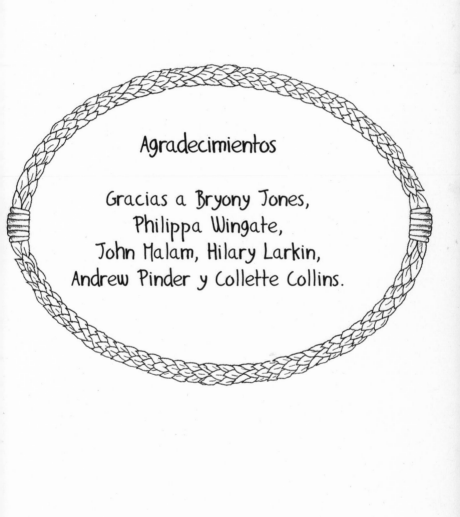

Agradecimientos

Gracias a Bryony Jones,
Philippa Wingate,
John Malam, Hilary Larkin,
Andrew Pinder y Collette Collins.

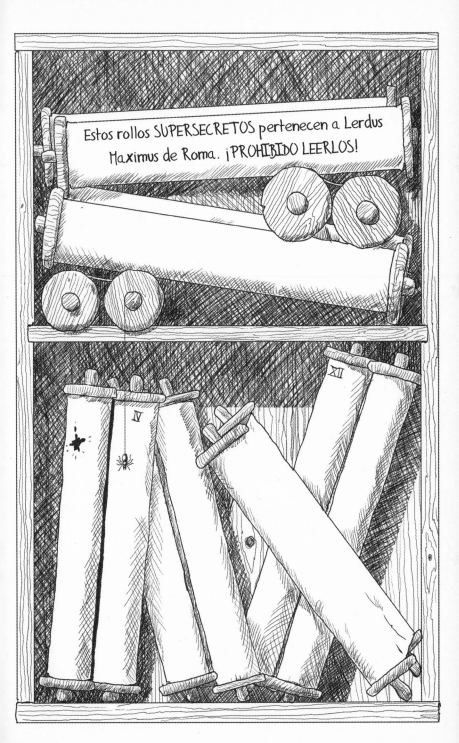

Mamá y papá

Mis supuestos amigos:
Cornelius, Gaius y Flavia

Garrulus, mi
hermano, al que
nunca llegaré a
parecerme

El ilustre
(y calvete)
Julio César

Los cerdos y
gallinas sagrados
de mi madre

ESTE DIARIO PERTENECE
A: LERDUS MAXIMUS
EDAD: 12 AÑOS
CASI un héroe romano

Linos, joven esclavo
griego y mi futuro
amigo (si mi padre
me lo compra)

Mondongus, tutor
buenísimo

Vibius, el
médico de mi
madre

Lucius, tutor
PLASTA

I de marzo

Hoy papá me ha dado este rollo de papiro.
Pienso utilizarlo para tomar nota de lo que
me vaya pasando cada día. Así, cuando sea
un héroe romano, tendré un registro
completo de cómo llegué a la grandeza.

Futuro Lerdus Maximus, formidable héroe romano

Ya sé que tendré que perfeccionar lo de ser un héroe. La última vez que me puse la armadura de mi hermano, me caí de espaldas. ¡Qué BOCHORNO! ¿Cómo voy a inspirar el terror en el corazón de mis enemigos, si ni siquiera soy capaz de mantener el equilibrio?

No importa: sé que estoy destinado a hacer grandes cosas. Después de todo, papá sirvió en el ejército y ahora se dedica a la política. Garrulus solo tiene unos poquitos años más que yo y ya es general. O sea, que sin duda dentro de mí hay un insigne guerrero que está esperando su oportunidad.

Solo espero que no tarde mucho en aparecer.

Yo (pronto)

Yo (ahora)

II de marzo

Hoy me han echado de la cocina por
haberme agenciado un lirón.

Los esclavos iban arriba y abajo como locos
preparando hígados de ganso, ubres de vaca
y lirones en miel para la fiesta de esta
noche. No creo que les viniera de un ratón
asado, pero de todas formas me dieron un
golpe en la mano y me dijeron que esperara
a la noche.

ODIO las fiestas. Vale que la comida está
bien, pero los invitados son repugnantes.
Siempre vomitan en palanganas y luego
vuelven para zamparse lo que sea.

¡Qué asco! Solo de oírlos ya me entran
ganas de echar yo también el bofe. Y es
que con los vómitos pasa como con los
bostezos: ¡se contagian!

Ojalá me dejaran llevarme la comida a mi habitación, pero mi padre dice que eso es "antisocial". Pues vaya, ¿y vomitar por todo nuestro comedor no lo es?

El jaleo de la fiesta no me dejaba dormir. He oído un griterío en el jardín y me he asomado a ver qué pasaba. Papá había contratado a una pareja de enanos para vestirlos de gladiadores y hacer que lucharan.*

Si les hubiese pedido que bajaran un poquito el volumen, mi padre me habría dicho que me quedara con ellos. Y luego me habrían apuñalado hasta la muerte con un tridente

Tridente pequeñito

Bochorno épico

* Al final del libro se explican las palabras romanas más peliagudas.

14

en miniatura, lo que me hubiese obligado a dar muchas explicaciones en el más allá.

Últimamente eso del más allá me tiene preocupado.

Mi madre dice que cuando mueres, tienes que cruzar el río Estigio en un barco y dar cuenta de tu vida a tres jueces. Si has sido malo, te mandan a un sitio horrible llamado Tártaro, que es mucho peor que estar en clase de mates y en el dentista al mismo tiempo.

Si te has portado normal, te mandan a un sitio aburridísimo llamado Campos de Asfódelos. Pero si has sido superbuenísimo te llevan a los soleados Campos Elíseos.

Cuando me muera quiero estar con los héroes en los Campos Elíseos, no con los mediocres de los Asfódelos ni con los perdedores del Tártaro.

Pero ¿cómo voy a conseguirlo si me muero cayendo por las escaleras con la armadura o apuñalado por un tridente pequeñito?

Tengo que ser un héroe romano YA MISMO... No puedo esperar más.

III de marzo

Le he pedido a mi padre que me entrene para ser un héroe glorioso, pero me ha dicho que tendré que esperar a crecer un poco más, porque ahora sería perder el tiempo.

Estoy harto de esperar a crecer. A mi edad, Garrulus era mucho más alto que yo. ¡A lo peor ya no crezco más!

He estado toda la mañana persiguiendo a mi padre y dándole la lata para que me entrene. Al final se ha cansado y me ha dado una de sus espadas.

He intentado soltar un rugido en plan guerrero temible, pero me ha dado un ataque de tos y he tenido que ir a beber un poquito de agua.

Cuando se me ha pasado la tos, mi padre me ha llevado al atrio y ha atado un saco de trigo a una columna.

—Imagínate que es un bárbaro que viene corriendo hacia ti en la batalla —me ha dicho—. En la vida real, los bárbaros apestan como cabras y son muy barbudos..., sobre todo las mujeres. Pero de momento te las apañas con el saco.

He levantado la espada con la intención de dejarla caer con todas mis fuerzas. Por desgracia, pesaba mucho más de lo que imaginaba, y me he caído de espaldas... otra vez.

He oído risas al otro lado del atrio y he visto que todos los criados me estaban mirando.

—Ya basta —ha dicho papá—. Mi hijo lo intentará de nuevo, y no quiero oír ni una risita.

Levanté de nuevo la espada e intenté hacerla girar a un costado, pero no acerté el saco de trigo y el arma siguió hasta dar con otra cosa. Por desgracia la otra cosa resultó ser el jarrón favorito de mi madre. Osciló a un lado, luego al otro, y luego se estrelló contra el suelo.

¡Ups! Papá tenía razón. Esta vez nadie se rio. Estaban todos demasiado ocupados sacudiendo la cabeza y haciendo muecas.

Bárbaro sediento de sangre: atacar esto

Jarrón carísimo: no atacar esto

IV de marzo

Hoy he ido al foro con mi padre para comprar tinta, pero cuando hemos llegado, me han entrado ganas de ir al baño.

Papá no me ha dejado volver a casa y ha dicho que fuera a los retretes públicos. ODIO los retretes públicos. Me he sentado con tres señores que hablaban de no sé qué cosa aburridísima, mientras se tiraban unos pedos tan monumentales que parecía como si sus traseros tuvieran una conversación aparte.

Cuando hay gente cerca, no me sale nada. Al final, después de pasarme un siglo esperando, he decidido dejarlo para otro momento. He puesto cara de alivio (falso) y me he levantado. El señor que estaba a mi lado me ha mirado y ha dicho:

—Por favor, no seas marrano.

¿¡Marrano YO!? ¡Pero si parecía que el tipo estuviera soltando una boñiga de vaca! ¿Y decía que no fuera marrano?

—No lo has limpiado —ha dicho, tendiéndome una esponja atada a un palo.

¡Uy! Se me había olvidado. Pero ¿quién quiere limpiar con una esponja que ha pasado antes por un montón de manos?

He fingido que usaba la esponja y luego la he devuelto. ¿Cómo voy a ser un gran héroe si ni siquiera puedo hacer mis cosas en público?

Extremo para limpiar

NO te equivoques de extremo

Extremo para sujetar

V de marzo

Ayer noche mi madre oyó unos truenos y pensó que eran un mal augurio sobre Garrulus. Como de costumbre, exageró: compró un cerdo y fue al templo para que el sacerdote sacrificara al animal y leyera las vísceras.

¿Y qué dijeron las vísceras? Pues que a Garrulus no le pasaría nada malo. Y aunque no hubieran dicho eso, ¿qué habríamos podido hacer, si está tan lejos de casa luchando con el ejército? Nada de nada. Lástima de cerdo desperdiciado.

Ojalá las vísceras pudieran predecir algo útil, como qué carro ganará en las carreras de la semana que viene. Así podríamos compensar una parte del dinero que mamá se gasta en cerdos.

VI de marzo

Esta mañana he visto al sacerdote de mamá
en el foro, con una pinta muy sospechosa.
Llevaba un saco muy grande. Lo he seguido
para ver qué se traía entre manos.

Ha ido donde el carnicero, ha mirado por
encima del hombro, ha abierto el saco y ha
mostrado los restos de un cerdo.

El carnicero lo ha mirado, ha asentido y le ha dado cuatro monedas.

O sea, que POR ESO le van tanto los sacrificios de cerdos. En fin, no ha de ser muy hábil prediciendo el futuro, de lo contrario habría buscado otro momento para que nadie lo viera.

Le he contado a papá la triquiñuela del sacerdote y él ha puesto el grito en el cielo. Ha ido a decirle a mamá que mejor cambie de sacerdote y ella también se lo ha tomado a la tremenda.

—Los dioses nos castigarán —ha dicho entre lloriqueos.

—Los dioses ya me han castigado con una esposa chiflada y un desastre de hijo —ha replicado mi padre—. ¿Qué más podrían hacerme?

¿Un desastre? No me esperaba que dijera eso de Garrulus.

Luego papá ha empezado a sentirse culpable y le ha comprado a mamá unas gallinas sagradas para animarla un poco. Así podrá saber los augurios en casa. Por lo visto, lo único que tiene que hacer es echar torta de semillas a las gallinas. Si se la comen, es un buen augurio. Si la dejan, no.

La verdad es que no acabo de verle la lógica a todo esto, pero si sirve para que mamá deje de desperdiciar cerdos, adelante con ello.

Gallina sagrada   Gallina del montón

VII de marzo

Hoy le he pedido a mi padre que me diera otra sesión de entrenamiento heroico, pero me ha dicho que nanay.

—Cada uno tiene sus habilidades —me ha explicado—. Algunos, como tu hermano Garrulus, están destinados a ser grandes héroes. Otros están destinados a tareas que demandan menos... fuerza física.

—¿Como qué? —le he preguntado.

—Podrías ser catador de comida. Es un magnífico empleo. Solo tienes que pasarte el día sentado probando la comida de la gente rica. Y siempre hay demanda de catadores, porque los que hay duran muy poco. Siempre acaban envenenados.

—No —le he contestado—. NO me interesa.

Que venga otro... este se ha roto.

—Entonces, puedes preguntarle a Vibius, el amigo de tu madre, cómo hay que hacer para ser médico. Él lo es, y no parece que cueste mucho. O también podrías ser depilador de sobacos. El otro día conocí a uno en los baños. Me dijo que era un buen trabajo, siempre que no seas remilgado con los olores. Y ADEMÁS te dejan quedarte con los pelos.

Pong

—No quiero ser depilador de sobacos —he respondido—. No quiero ser ninguna de esas cosas tan aburridas. Quiero ser un gran héroe romano, por eso te pido que me entrenes ahora mismo.

Por desgracia, papá ha dado media vuelta y se ha largado.

VIII de marzo

Hoy teníamos que ir al foro para comprarme otro rollo de papiro, pero mamá no me ha dejado ir porque las estúpidas de sus gallinas no se han comido la torta de marras.

No es que quiera poner en duda las extrañas creencias de mi madre, pero ¿y si las gallinas no tenían hambre?

La verdad es que cuando se lo he dicho, no ha parecido muy contenta, o sea que voy a tener que dejar mi diario aquí porque ya no me queda espacio. Solo espero que hoy no pase nada interesante, ya que no voy a poder escribir sobre ello...

IX de marzo

Hoy las gallinas se han comido la torta, o sea que me han dejado salir para comprar más papiro.

El mozo de cuadra me ha preguntado qué me parecían los elefantes. Pero ¿QUÉ elefantes?

Por lo visto ayer por la tarde cuatro elefantes se pasearon por las calles. El mes que viene van a hacer un gran desfile en honor de Julio César, y han traído a esos animales de África para eso.

No puedo creer que me lo haya perdido. SIEMPRE he querido ver un elefante. Cornelius dice que son tan grandes como carros y que además de la cola de atrás, también tienen una delante.

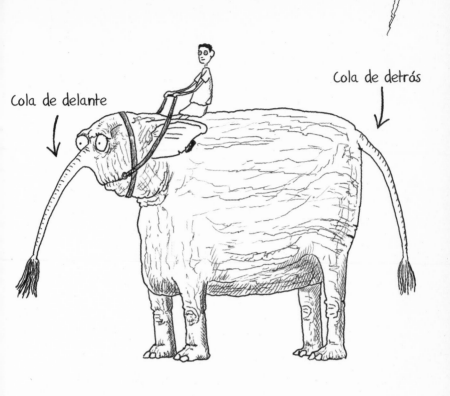

Cola de delante

Cola de detrás

Muchas gracias, gallinas. Gracias por no dejarme ver algo tan increíble. ¿Qué será la próxima vez? ¿Impedir que alguien me dé dinero a cambio de nada?

Pues voy a deciros una cosa, estúpidos pajarracos. Si por casualidad os atrevéis a reventarme el desfile del mes que viene, iréis directas a la cazuela.

Y a mí no me importa que seáis gallinas sagradas. Si no dejáis de fastidiarme la vida, seréis gallinas sagradas en salsa de espárragos y cebollas.

X de marzo

Hoy mi madre ha llevado mi túnica a la lavandería y cuando la ha traído de vuelta olía a orina. Cuando me he quejado de ello, me ha dicho que no le extrañaba, porque así es como lavan la ropa. ¡QUÉ ASCO!

Por lo visto, los de la lavandería dejan unos cubos en las esquinas para que la gente haga sus necesidades. Desde luego, a mí no me busquéis por una de esas esquinas; ya sabéis lo que pienso de hacer las necesidades en público.

Cuando los cubos están llenos, se los llevan a la lavandería y allí mezclan la orina con agua en unas enormes tinas.

Los esclavos pisotean la ropa para lavarla.

Peste

Agua

Orina

Imagínate lo que puede ser eso cuando hace mucho calor. Solo de pensarlo se me ponen los pelos de punta.

Le he dicho a mamá que prefiero llevar la túnica sucia a que huela a meado, pero no me ha hecho ni caso. Seguro que si me diera por orinarme en las cosas para lavarlas, se pondría hecha una fiera. Pero claro, si son los esclavos quienes lo hacen, entonces la cosa cambia.

XI de marzo

Hoy ha venido Lucius, mi tutor, para darme otra clase de mates aburrida, aburrida, aburridísima. ¿He dicho ya que era aburrida?

Los grandes héroes no necesitan saber matemáticas. Cuando yo lo sea, lo único que habré de sumar es el número de bárbaros apestosos que haya liquidado. Y ADEMÁS, tendré un esclavo para que se ocupe de eso.

XII de marzo

Mañana iremos al anfiteatro a ver a mi gladiador favorito. Estoy impaciente por ver luchar a Triumphus. ME ENCANTA Triumphus. Lleva un tridente, una red y una armadura en el brazo. Es tan fuerte que ni siquiera va con la cara cubierta.

En mi último cumpleaños, por una vez me regalaron lo que de verdad quería: un mosaico de Triumphus para el suelo de mi habitación.

¡Qué envidia tuvieron mi amigos Cornelius y Gaius cuando lo vieron! A ninguno de los dos les dejan tener una cosa tan increíblemente estupenda.

XIII de marzo

Hoy he ido a ver luchar a Triumphus contra un nuevo gladiador llamado Flamma.

Yo pensaba que Triumphus conseguiría la victoria como de costumbre, pero Flamma era muy fuerte, y no se daba por vencido.

Después de media hora, Triumphus ha caído sobre la arena y Flamma le ha apoyado un pie en el pecho, empuñando la daga.

El público gritaba: "¡Mátalo! ¡Mátalo!"

Yo he intentado empezar a corear lo contrario: "¡Sálvalo!" Pero nadie me ha seguido. De hecho, el señor que tenía delante me ha dicho que cerrara el pico.

La muchedumbre cada vez gritaba más fuerte; al final Flamma ha acabado con Triumphus, y la arena ha quedado roja de sangre.

La multitud estaba entusiasmada, pero yo me he quedado hecho polvo. ¡Mi mosaico se ha pasado de moda!

XIV de marzo

Le he pedido a papá que me cambiara el
mosaico de Triumphus por otro de Flamma,
pero ha dicho que no. ¡Será tacaño! Cuando
pienso en todo el dinero que ha malgastado
mamá en cerdos, me parece ridículo que no
quiera pagar algo tan importante como esto.

Esta tarde me he probado la túnica vieja de
Garrulus, que aún me queda por debajo de
las rodillas. Creía haber crecido un poco
desde la última vez que me la probé, pero
habrán sido figuraciones mías.

Me voy ahora mismo a rezar a los dioses
para que me hagan tan grande y tan fuerte
como mi hermano.

Nada, no ha servido de nada. Sigo tan canijo como antes. A lo mejor es que no he rezado bien. Como no tenía ningún animal que sacrificar, me las he apañado con una col.

Mamá ha venido enseguida y me ha dicho que no desperdicie la comida. Me ha parecido tan hipócrita que no sé ni cómo decirlo.

XV de marzo

Por fin parece que las cosas van mejorando.
Hoy son los Idus de marzo, el día que
honramos a Marte, el dios de la guerra.

Yo lo he honrado corriendo por la habitación
de mis padres con la espada de papá en
alto y gritando: "¡Soy un guerrero temible!"

Papá se ha levantado como el rayo para
coger el jarrón que hay junto a su cama.

—Baja eso, Lerdus —ha gritado—. Te daré
lo que quieras, pero baja ya la espada.

—¿Todo lo que quiera? —le he preguntado—.
¡Perfecto! Entréname para ser un gran héroe.

Cuando mi padre ha vuelto a casa esta
noche, me ha dicho que le había pedido a
Mondongus, su viejo amigo del ejército, que
me entrenara en las artes del combate.

Mañana conoceré a Mondongus. Si me acepta como pupilo, él será mi tutor en lugar de Lucius. ¡Ojalá me acepte! Con su entrenamiento, me convertiré en una auténtica bestia. Podré aniquilar a toda una tribu de bárbaros con un solo mandoble de espada.

Mamá cree que sus gallinas la han advertido de que mi entrenamiento para el combate acabará en tragedia. Y no es eso. Es que las gallinas no tenían hambre... para variar.

Mi padre ha dicho que a lo mejor las gallinas tienen razón, y que si me deja entrenarme en casa, sin duda la cosa

acabará en tragedia. Toda la villa,
incluidas las gallinas sagradas, acabará en
ruinas.

Me ha parecido absurdo, pero no he
discutido. Lo que sea por mi entrenamiento.

XVI de marzo

Mondongus vive en una gran mansión en lo alto del monte Quirinal. Cuando he llegado, uno de los criados me ha acompañado al huerto de atrás, que es muy grande y tiene una tapia.

Lo primero que he visto ha sido una enorme estatua de Mondongus. Representaba a un hombre alto, con muchos músculos y una espada en la mano.

Luego, el auténtico Mondongus ha salido de detrás de la estatua. Era un señor bajito, regordete y con un muslo de pollo en la mano.

Me he preguntado si Mondongus sería el mejor tutor para entrenarme, pero luego ha empujado la estatua, que pesaba un montón, por todo el jardín, ¡y con una sola mano! Aunque no tiene pinta de ser un gran héroe, desde luego, parece que fuerza no le falta.

Mondongus me ha dado una espada de madera.
—Enséñame qué sabes hacer, muchacho.

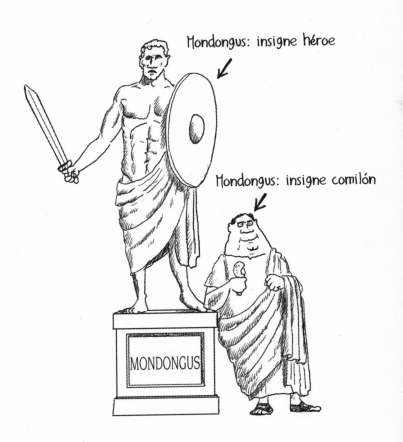

Mondongus: insigne héroe

Mondongus: insigne comilón

MONDONGUS

He cogido la espada con las dos manos y he empezado a hacer molinetes. Mondongus no parecía muy impresionado que digamos. Ha tirado el hueso de pollo por encima del hombro y ha puesto mala cara.

¿Qué podía hacer para convencerlo? He cerrado los ojos y me he imaginado que era Triumphus. Cuando estaba vivo, claro. No es que me imaginara como un gladiador muerto.

He reproducido los mejores movimientos de Triumphus, cogiendo la espada con la derecha y lanzando ataques cortos y rápidos.

Mondongus se ha acercado a mí, me ha erguido los hombros y me ha levantado la barbilla. El hombre tenía las manos pringadas de grasa.

—Tienes que imaginar que la espada forma parte de tu brazo —me ha dicho.

Entonces me he imaginado a un señor con un brazo muy largo y el otro cortito, y me ha entrado la risa tonta. Para disimular he respirado hondo, he pensado de nuevo en Triumphus y he ensayado más movimientos de ataque.

—Vale —ha dicho Mondongus finalmente—.
Dile a tu padre que te acepto como pupilo.

He gritado de pura alegría y he levantado
los brazos en señal de triunfo. Por
desgracia, la espada se me ha ido de la
mano, ha atravesado volando el jardín, se
ha llevado un tiesto por delante y por poco
le da a Mondongus. ¡Ups!

—Dile también que le mandaré una factura
aparte en concepto de daños —me ha dicho.

XVII de marzo

Me he pasado toda la tarde en el atrio, practicando movimientos de ataque. ¡Aún faltan dos días enteros para mi próxima lección!

Cuando mi padre ha llegado a casa, le he mostrado mis nuevas habilidades y le he dicho que voy a convertirme en un gran héroe.

Al cabo de un momento, se ha retirado a su cuarto y ha mandado un esclavo.

Le he preguntado al esclavo qué estaba haciendo y me ha contestado que mi padre le había ordenado que me escuchara. No puedo creer que papá haya encargado la tarea de escuchar a su propio hijo a un esclavo. ¡Qué falta de consideración!

El esclavo se ha quedado ahí sentado durante un par de horas. Al principio sonreía y hacía que sí con la cabeza, pero enseguida ha puesto mala cara y ha empezado a temblar.

Al final ha salido corriendo de la sala.

—¡No lo soporto más! —gritaba.

53

¡Será tonto y desagradecido! Teniendo en cuenta que se pasa el día fregando y limpiando, tendría que alegrarse de poder escucharme.

Le he dicho a papá que debería hacer azotar al esclavo, pero me ha contestado que el pobre ya tenía bastante castigo por una noche. No acabo de entender qué quería decir. A lo mejor ya le había azotado por alguna otra cosa.

XVIII de marzo

Esta mañana han venido Cornelius, Gaius y Flavia y les he contado que me estaba entrenando. Cornelius debe de haber tenido envidia, porque no ha parado de fastidiarme con lo de mi mosaico pasado de moda.

Por la tarde he ido al foro para jugar al escondite.

He encontrado un sitio genial para esconderme, detrás de unas cestas de higos cerca de la tienda de sandalias, o sea que allí me he quedado, muy encogido.

Cuando he visto que pasaban cinco minutos y que nadie me encontraba, me he sentido orgulloso. Pero luego, cuando hacía veinte minutos que estaba allí, la cosa no me ha gustado tanto.

Después he salido, he vuelto al foro y he visto que todos se reían de mí.

—Ni siquiera te hemos buscado —se ha burlado Cornelius—. Solo queríamos ver cuánto tardabas en cansarte. ¡Feliz Hilaria!

¡Brrrr! Se me había olvidado que Julio César anunció que hoy era la fiesta de Hilaria, y que todo el mundo debía gastarse bromas.

—A mí no me vengáis con guasitas —les he dicho—. Algún día me convertiré en un gran héroe.

—¿Un gran héroe? —ha preguntado Cornelius—. En una batalla serías tan útil como un gladiador muerto.

Me han entrado ganas de darle una lección, pero he preferido esperar a entrenar un poco más. Así que me he largado con viento fresco.

Gaius ha venido tras de mí corriendo.

—Perdona —me ha dicho—. Ha sido idea
de Cornelius. Está todo el día gastando
bromas. A mí esta mañana me ha atado los
cordones de las sandalias, o sea que tú aún
has salido bien librado.

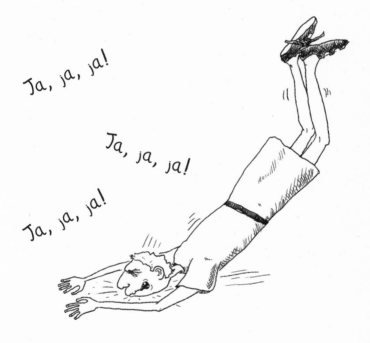

Ja, ja, ja!

Ja, ja, ja!

Ja, ja, ja!

Por la noche, he gastado una broma de
Hilaria buenísima. He salido al jardín y he
visto a una esclava que se llama Delia.

Le he dicho que como vamos mal de dinero, íbamos a venderla a un mercader de esclavos.

¡Y lo he dicho muy serio! Esto de las bromas me sale MUCHO mejor que a Cornelius.

Incluso demasiado, porque Delia ha empezado a berrear y a suplicarme que le permitiera quedarse. He intentado explicarle que solo era una broma, pero ella aún aullaba más fuerte.

Mi padre ha venido corriendo a ver qué pasaba. Me ha obligado a pedirle perdón a Delia, lo que me ha parecido un poco excesivo.

Él NUNCA pide perdón a los esclavos cuando los azota. ¿Por qué tenía yo que disculparme simplemente por una buena broma?

XIX de marzo

La lección de hoy ha ido sobre técnicas de
defensa. Mondongus me ha dado un escudo
de metal y me ha explicado cómo los usan
en el ejército para luchar formando en
"tortuga".

Formación en tortuga (correcta)

Formación en tortuga (incorrecta)

Tortuga

Por desgracia el escudo pesaba tanto que se me ha caído encima. ¡Desde luego, yo sí que parecía una tortuga! Pero no creo que hubiera sido de gran ayuda en una batalla.

Mondongus ha traído una fuente grande de la cocina y me ha dicho que la utilizara como escudo. Luego me ha atacado con la espada de madera y yo tenía que defenderme.

Me costaba pillarle el tranquillo, y Mondongus me ha dado un montón de veces. Pero luego se ha cansado y ya iba más lento.

Seguramente en sus tiempos fue un gran soldado, pero ahora no aguanta nada y enseguida se queda sin fuelle.

La clase se ha terminado cuando yo he bloqueado un ataque con tanta energía que la bandeja se ha roto.

Me he sentido muy orgulloso de mi fuerza, a pesar de los daños.

Mondongus ha dicho que añadiría eso a la factura. Tengo que procurar no estar delante cuando mi padre la reciba.

¿CUÁNTO dices?

XX de marzo

¡DESASTRE! Hoy he ido al barbero y me ha hecho el corte de pelo más ridículo de TODOS LOS TIEMPOS.

—Quiero un peinado de gran héroe romano —le he dicho al sentarme.

El muy idiota me ha pelado toda la parte de arriba de la cabeza, y el pelo de atrás lo ha echado hacia delante.

—Pero ¿qué es esto? —le he preguntado.

—Un peinado de héroe romano —me ha contestado—. A lo Julio César, para ser preciso. Él se peina hacia delante para tapar la calvicie. También se pone una corona de laurel para disimular. Seguramente podrás conseguir alguna de camino a casa.

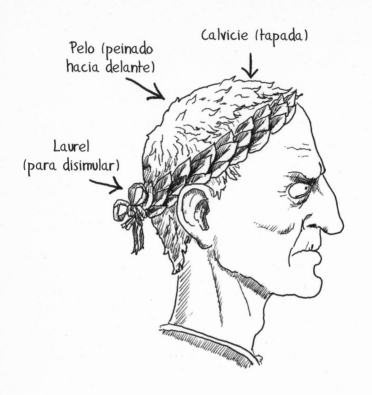

Pelo (peinado hacia delante)

Calvicie (tapada)

Laurel (para disimular)

—No puedo ir por ahí con una corona de laurel —le he dicho—. Todo el mundo se reiría.

—Pues no veo que nadie se ría de César.

—Pues claro. Porque es César. Si quisiera podría ponerse una peluca de rizos y un vestido, y nadie se reiría.

—Bueno, pues ahora ya es demasiado tarde, Lerdus —ha dicho el barbero—. La próxima vez sé más claro.

Como si fuera a haber una próxima vez. Prefiero llevar las greñas como un bárbaro apestoso antes que volver a que me lo arregle este pringado.

XXI de marzo

Hoy han venido Cornelius, Gaius y Flavia para ver si quería jugar al escondite.

—Ni hablar —he dicho—. Que luego me tomáis el pelo y os reís de mí.

—No, de verdad —ha asegurado Gaius—. Eso era por culpa de Cornelius, y ya no lo hará más.

—Es verdad —ha dicho Cornelius—. Ni siquiera he mencionado tu nuevo peinado. Eso demuestra que he cambiado.

—He dicho que no, y es que no —he replicado.

—Solo eran unas bromas —ha dicho Cornelius—. Juro por el honor de mi familia que no me portaré mal.

Cuando llegamos al foro, a Gaius le tocó contar el primero. Yo iba a esconderme detrás de la panadería cuando Cornelius me ha llevado en otra dirección.

—He encontrado un escondite genial —ha susurrado mientras me conducía a un callejón silencioso entre grandes edificios—. Es aquí —ha indicado, señalando un sitio debajo de una ventana—. ¡Gaius no nos encontrará nunca!

¡Seré idiota! Le he hecho caso y me he puesto donde me decía, mientras él se apartaba un poco riendo por lo bajinis. Enseguida he oído un ruido arriba y al mirar he visto que una mujer echaba algo a la calle desde la ventana, algo viscoso de color marrón. ¡Estaban vaciando un orinal! ¡Puaaa¡!

Cosa repulsiva

Me he apartado tan rápido como un gladiador en la lucha y la caca ha caído justo a mi lado. Gracias a los dioses por mi entrenamiento defensivo, sin ello, jamás habría conseguido apartarme tan rápido. Cornelius se tronchaba de la risa.

—¡Chínchate, no me ha dado! —le he gritado.

Pero luego, enseguida, la mujer ha vaciado otro orinal. Esta vez me ha dado en toda la pierna. Y Cornelius se ha reído aún más mientras yo intentaba sacudirme la plasta.

—¡Me habías jurado por el honor de tu familia que te portarías bien! —le he dicho.

—Mi familia no tiene honor ni nada —me ha contestado—. Son aún más pringados que tú.

Y dicho esto ha venido corriendo hacia mí,
me ha levantado el pelo y me ha dado un
capón en toda la cabeza. Me pregunto si a
Julio César también le darán capones. Eso
explicaría por qué empieza tantas guerras.

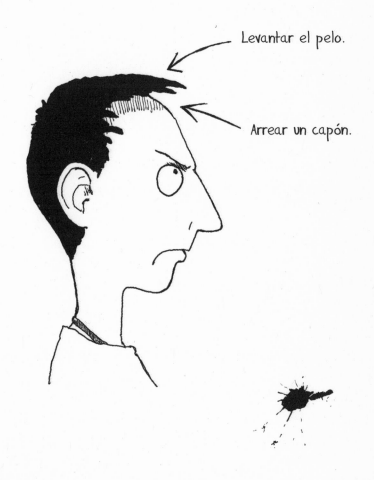

Levantar el pelo.

Arrear un capón.

XXII de marzo

Hoy ha tocado más entrenamiento. Mientras yo practicaba con la espada de madera, Mondongus me hablaba de las guerras en las que combatió.

Siempre que papá habla de sus días en el ejército, lo hace como excusa para sermonearme sobre la gloria y el honor. En cambio, Mondongus me cuenta cosas chulísimas, como el diezmado, que es un castigo que se inflingía a los soldados cobardes.

Diez soldados

Se elige un soldado.

Los otros tienen que apalearlo hasta la muerte.

70

Qué despiadado, ¿eh? Espero que algún día yo también seré despiadado.

Las historias de Mondongus eran tan guays que le he pedido una espada de verdad. Me ha hecho prometer que tendría muchísimo cuidado y luego me ha dado una espada de doble filo.

Al cogerla he intentado imaginar la cantidad de bárbaros que habrá masacrado con ella. He invocado a los dioses para que me hicieran tan fuerte y temible como fue Mondongus en sus tiempos. Por desgracia los dioses no me han oído, o a lo mejor es que estaban ocupados en otros asuntos, porque justo entonces se me ha caído la espada y me he hecho un tajo en la pierna.

Mondongus ha dicho que mejor dejábamos los entrenamientos antes de que me rebanara el gaznate yo solito y papá se lo rebanara a él como venganza.

Yo le he dicho que si eso llegaba a ocurrir, lo más probable es que mi padre le diera las gracias.

Mondongus me ha preguntado si quería que me llevara a casa. La pierna me dolía tanto que he estado a punto de aceptar, pero como no quería que Cornelius me viera, le he dicho que me encontraba bien y he vuelto cojeando.

XXIII de marzo

Ahora mismo huelo como algo que debiera ser servido en una fiesta. ¿Por qué? Pues porque esta mañana mi madre me ha visto la pierna y ha salido corriendo a casa de su médico, Vibius.

El doctor ha entrado en mi habitación y me ha examinado la herida. Ha rebuscado en su bolsa y ha sacado un pellizco de lana de oveja sin lavar. Es su solución para todos los males, seguramente porque le sale barata.

Luego Vibius ha empezado con lo suyo:

I. Primero ha mojado la lana en
vinagre y me la ha pasado
por la herida. ¡Eso me ha dolido
UN MONTÓN!

II. Después ha untado la lana con miel
y me lo ha restregado por
el pescuezo.

III. Luego ha untado la lana con yema
de huevo y me lo ha restregado
por los brazos.

IV. Por último me ha echado la cabeza
hacia atrás y me ha tirado vino
por la nariz. Me he sentido como
si fuera a ahogarme.

Finalmente me ha mirado y ha puesto cara de sentirse como si hubiera obrado un milagro, en lugar de haberme embadurnado de ingredientes culinarios al tuntún. Mi madre le ha dado las gracias y le ha entregado un montonazo de monedas.

¿Y cómo estaba mi pierna después de este presunto tratamiento? Pues peor, claro.

XXIV de marzo

Lo que me faltaba. Mi padre ha decidido
que mis lecciones de combate son demasiado
peligrosas, así que las ha cancelado. Y lo
que es peor, ha hecho venir al plasta de
Lucius para que me dé más clases de mates.

Me he pasado toda la mañana mirando mi
pluma y deseando que fuera una espada,
para poder cortarle la cabeza a Lucius. Se
habrá dado cuenta de mi mal humor, porque
no ha parado de ponerme sumas, todas
dificilísimas.

Esta tarde ha venido Gaius. Le he enseñado la
herida de la pierna y le he dicho que me la
había hecho en una lucha con espadas. Se ha
quedado bastante impresionado, pero lo habría
estado menos si le hubiera mencionado que la
lucha había sido CONMIGO mismo.

Le he explicado la broma que me gastó Cornelius y ha chasqueado la lengua.

—Últimamente Cornelius se está portando como una pila de caca de bárbaro —me ha dicho—. Ayer escribió "Gaius ama a Flavia" en la pared de su casa. El padre de Flavia se puso hecho una furia.

—¿Por qué no nos vengamos de él? —he dicho.

—Podríamos hacer que espere debajo de una ventana para que le caiga encima el contenido de un orinal —ha sugerido Gaius.

—No, hay que dar un paso más —he dicho—. Le ataremos carne cruda a los brazos y las piernas y lo soltaremos en medio de una jauría de perros salvajes.

—O podemos escribir que ÉL ama a Flavia en la pared de casa de Flavia —ha insistido.

Como puede verse, Gaius no es tan original como yo, así que he preferido esperar a que se marchara para pensar la mejor manera de vengarme.

XXV de marzo

He tramado un plan perfecto para vengarme de Cornelius. Es este:

I. Gaius convence a Cornelius para ir a jugar al escondite en el cementerio que hay a la salida de la ciudad.

II. De camino, Gaius le cuenta a Cornelius que han visto un fantasma en el cementerio.

III. Me cubro la cara y los brazos con tiza y espero detrás de la lápida que hay a la entrada.

IV. Cuando ellos dos llegan cerca de la lápida, Gaius tose.

Cof, cof

V. Yo salto de golpe y grito:

" ¡Uuuuhhh! "

VI. A Cornelius se le pone la cara más blanca que a mí, y se mea encima.

VII. Lo señalo riéndome. Todo el mundo se une a mí.

¡Ja ja ja!   ¡Ja ja ja!   ¡Ja ja ja!

XXVI de marzo

Hoy debería haber tenido más clases de mates,
pero como me dolía la cabeza, le he dicho a
mamá que me dejara descansar. Por desgracia,
ha hecho llamar a Vibius otra vez.

El médico ha examinado mis ojos, echándome
su horrible aliento matinal.

—Esto no me gusta nada, Lerdus —me ha
dicho—. Te lloran los ojos y estás muy
pálido. Tienes muy mal aspecto.

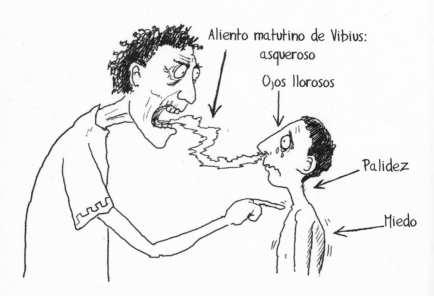

Aliento matutino de Vibius:
asqueroso

Ojos llorosos

Palidez

Miedo

Pues claro que tengo mal aspecto, con los ojos llorosos y muy pálido, he pensado. Será por el tufo de tu aliento de perro. ¿Es que usas el palo de fregar retretes en lugar de cepillo de dientes?

Vibius me ha examinado la cabeza:
—Está clarísimo. Lo que tienes ahí es un fantasma que no puede salir.

—Gracias a los dioses que has llegado a tiempo —ha dicho mamá.

—Es muy fácil. Solo hay que practicar un agujerito en la frente para que el fantasma se vaya —ha explicado Vibius, mirando de reojo su bolsa.

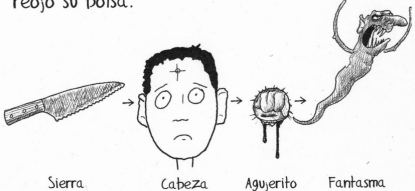

Sierra   Cabeza   Agujerito   Fantasma

¿Un fantasma en la cabeza? ¿Pero qué decía ese chalado? Ha avanzado unos pasos con la sierra en ristre. No permitiría que me operara ni aunque quisiera tener un agujerito en toda la frente.

He saltado de la camilla y le he dicho:

—¿Sabes qué? Ya me encuentro muchísimo mejor, no necesito ningún tratamiento. Venga, que tengo clase de mates, ¿no?

—Es una lástima —ha contestado Vibius—. Si quieres, igualmente te hago el agujero. Incluso a la mitad de precio.

—No, gracias —he respondido, empujándolo hacia la puerta.

La clase de mates ha sido aún más soporífera que de costumbre, pero al menos no tengo ningún agujero en el cráneo. Cuando eso es lo mejor que puedes decir, es que el día ha sido una auténtica birria.

XXVII de marzo

Ya no me duele la cabeza. Seguro que Vibius diría que eso es porque el fantasma ha salido por la nariz.

O a lo mejor lo que pasa es que Vibius no tiene ni idea. ¿No será que alguien le habrá hecho un agujero en la frente y le habrá sacado el cerebro?

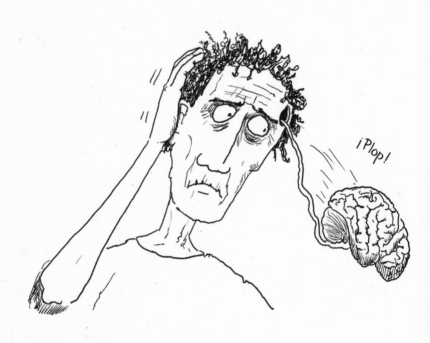

¡Plop!

Hoy también ha venido Gaius y le he contado todo mi plan para vengarnos de Cornelius. Le ha parecido genial. Lo prepararemos todo para mañana.

Cornelius va de mal en peor. Por lo visto se ha inventado un juego que él llama "tocacaca". Fue a los retretes públicos para agenciarse un palo de limpiar y empezó a perseguir a todo el mundo con él.

XXVIII de marzo

Justo antes de mediodía he ido al cementerio y me he escondido detrás de la tumba de la entrada. Enseguida he oído que dos hombres se acercaban y se paraban justo delante de la lápida.

Lo que faltaba. ¿Cómo iba a saltar con esos dos idiotas ahí plantados?

—Se acerca la hora —ha dicho uno con voz aguda—. Hemos de estar preparados para acabar con Calvete en cuanto recibamos la señal.

—Estoy listo —ha contestado el otro con voz grave—. Cuando le dé su merecido dejará de ser un incordio.

Los dos hombres se han ido, pero yo me he quedado pensando en sus palabras.

¿Quién era Calvete? ¿Y por qué era un incordio? Estaba tan distraído con todo eso que no he oído las primeras toses de Gaius. Cuando me he dado cuenta, Gaius ya tosía como si tuviera una espina de pescado en la garganta.

He saltado gritando: "¡BUUUUUU!" Por desgracia, no he visto a Cornelius, sino la cara aterrorizada de una señora mayor.

—¿Honorius? —ha dicho—. ¿Eres tú? ¿Por qué regresas del más allá? ¿Es que no te enterramos adecuadamente?

—Estooo... No soy Honorius —he admitido—. Disculpa. Solo era una broma.

La mujer me ha cogido por la oreja.

—¿Eso te parece una broma? ¿Fingir que eres mi hijo y esconderte detrás de su tumba?

—Lo siento. Ha sido sin querer.

La vieja me ha tirado de la oreja... a lo bestia.

—¡Basta! —he gritado—. ¡Cómo duele!

Y en ese momento he visto a Cornelius. Estaba ahí al lado, con Gaius y Flavia, y los tres se partían de risa.

XXIX de marzo

Ya se me ha curado la pierna, pero ahora me duele la oreja por culpa de tanto tirón. He de volver a los entrenamientos.

Cuando se lo he dicho a mi padre, ha reaccionado muy raro. No quiere que empiece de nuevo con las lecciones, pero por una vez le ha INTERESADO lo que le decía. De hecho, le ha interesado mucho.

Estaba leyendo en el atrio y pasando de mí como de costumbre cuando he empezado a contarle lo de mi broma fallida. Cuando he llegado a la parte de los dos hombres a los que oí hablar, papá ha soltado el rollo que estaba leyendo y me ha cogido por los hombros.

Me ha hecho repetir lo que dijeron esos hombres una, y otra y OTRA vez. Y luego me ha dicho que, para él, esos hombres estaban hablando de...

Eso es SÚPER, SÚPER, SUPERSECRETO.

Es tan supersecreto que me ha hecho prometerle que no se lo contaría a NADIE, y que ni siquiera escribiría sobre ello. Por eso voy a dejar de escribir ahora mismo...

XXX de marzo

¡Arggggg! Me agobia eso de no poder contar mi secreto. Tendré que escribirlo y luego esconder el rollo debajo de mi cama, todas las noches. Si no, al final EXPLOTARÉ.

Allá va... Mi padre cree que he descubierto un complot contra Julio César. "Calvete", así lo llaman algunos senadores por culpa del estúpido peinado que lleva, idéntico al mío.

Según papá, César tiene montones de enemigos porque no para de tomar él solo decisiones importantes, sin contar con nadie más. Cree que algunos enemigos de César habrán contratado a unos asesinos a sueldo para quitarlo de en medio. Pero ¿quiénes?

Le he preguntado a mi padre qué pasaría si alguien asesinara a César. Me ha dicho que Roma se convertiría en un caos, la sangre inundaría las calles y tendríamos que irnos al campo, donde no hay gladiadores ni carreras de carros. ¡Un aburrimiento!

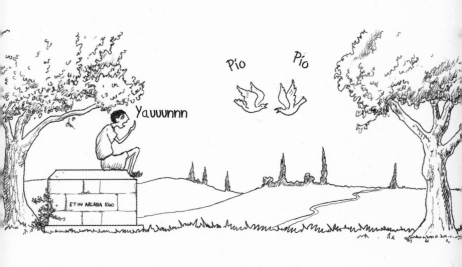

Total, que papá me tiene paseando por Roma hasta que encuentre a los propietarios de esas voces

¿Los encontraré? Lo dudo mucho. En Roma hay setecientas cincuenta mil personas. No puedo escucharlas a TODAS. Pero mi padre no me dejará volver a los entrenamientos si no lo intento.

XXXI de marzo

MENUDA pérdida de tiempo. Me he pasado
horas andando por ahí, esquivando cacas
que caían en todos los callejones de Roma.
He estado escuchando sin parar, recibiendo
extrañas miradas de gente que ha pensado
de mí que era un fisgón, pero nada.

Cuando se lo he dicho a mi padre, ha
empezado otra vez con lo de que si César
es asesinado, todos corremos mucho peligro.
Yo le he dicho que razón de más para
empezar de nuevo con mis entrenamientos,
lo que me ha parecido una forma muy sutil
de reconducir la conversación.

Papá me ha dicho que fuera a preguntárselo
a mamá y ella me ha dicho que se lo
preguntara a las gallinas. Típico. Es la
decisión MÁS importante que mis padres han
de tomar ahora mismo acerca de mi futuro,
y no se les ocurre otra de que dejársela a

dos inútiles pajarracos que, encima, ni vuelan. ¿Es que ahora las gallinas han de decidirlo TODO?

I de abril

Las Buenas Noticias: ayer las gallinas se comieron el trigo, o sea que me dieron permiso para entrenarme.

Las Malas Noticias: Mamá oyó el ulular de un búho y lo consideró un mal presagio, o sea que canceló los entrenamientos.

Qué, ¿algún otro pájaro quiere meterse en mi vida? ¿Alguna paloma a la que no le guste cómo visto? ¿O algún cuervo que desapruebe a mis amigos?

Y ese búho bocazas hará bien en callarse sus vaticinios. Si vuelve a las andadas, será el PRIMERO en tener mala suerte.

¿Por qué mi padre nunca me compra lo que quiero? A mamá bien que le deja comprar mogollón de gallinas y cerdos sagrados.. En cambio, cuando yo le pido algo, finge que no me oye o empieza a quejarse de que no tiene dinero.

Hoy hemos ido a la subasta para comprar un nuevo esclavo y papá se ha empeñado en quedarse el más barato.

Había un chico griego llamado Linos que era de mi edad y sabía latín. Le he pedido a papá que lo comprara, así podría hablar con él de mi entrenamiento. Ni por esas. Me ha dicho que sería tirar el dinero, porque ya tenemos muchos esclavos que hablan latín. Pero no hay ninguno de MI edad, ¿no?

Al final hemos comprado a una mujer que tiene como CIEN años.

A papá le ha parecido una ganga, pero para mí que debería ser más previsor. Si pone a trabajar a esa mujer, la pobre no aguantará y habrá que comprar otra. Linos costaba el doble, pero duraría al menos CINCO veces más.

¿Cuál elegirías?

Habla latín

Tiene mi edad

Es fuerte

Solo habla griego

Es vieja

Es débil

Mientras volvíamos a casa con nuestra desagradable esclava que no paraba de murmurar en griego, le he preguntado a papá qué sería de Linos.

—Posiblemente termine trabajando de sol a sol picando piedra, pero a lo mejor PREFIERE eso a escuchar tus aburridas historias —me ha contestado.

Ja, ja, NO CREO.

II de abril

Esta mañana he ido a las termas. Estaba tan tranquilo en un banco, disfrutando de un relajante baño de vapor, cuando he oído a dos hombres que hablaban en el otro extremo de la sala.

Al principio no les he hecho mucho caso, pero al cabo de un rato me he dado cuenta de que sus voces me resultaban conocidas.

—Ya falta poco —decía un hombre con voz aguda—. Has de estar preparado.

—Más vale que sea pronto —contestó el otro hombre con voz muy grave—. Ya he rechazado varios encargos de los prestamistas. Querían que me ocupara de unas torturas.

Eran ellos. LOS MISMOS que oí en el cementerio.

La sala estaba tan llena de vapor que no se veía nada, así que me he ido hacia donde se oían las voces. Enseguida he soltado un grito de dolor y he vuelto a mi sitio. ¡El suelo estaba ARDIENDO!

Me he puesto las sandalias y de nuevo he ido al otro extremo. No había nadie. Los hombres se habían ido, pero no podían andar muy lejos. Tenía que encontrarlos para salvar Roma del desastre.

Los he buscado por todas las termas. He
mirado en todas las piscinas, jardines y
salas de masaje, pero nada.

Cuando ya iba a darme por vencido, he oído
de nuevo las voces. Dos hombres se disponían
a salir. Eran así (prefiero ponerlo para no
olvidarme):

Alto

Bajito y peludo

Túnica
marrón

Túnica roja

He salido corriendo detrás de ellos a tiempo para ver que se metían por un callejón. Iba a seguirlos cuando me he dado cuenta de algo raro... Hacía demasiado frío para ser mediodía.

¡Uy! Me había dejado la ropa en los vestuarios. ¡Qué BOCHORNO! He intentado taparme como he podido y he ido retrocediendo hacia las termas. Y lo que es

Rojo por el vapor

Rojo de vergüenza

¿Por qué me odian los dioses?

peor: Cornelius, Gaius y Flavia han elegido justo ese momento para pasar por allí.

III de abril

Cuando le he contado a mi padre lo de ayer me ha dicho que tendría que haber seguido a esos dos tipos, aunque fuera sin ropa. ¡Y qué más! Quiero salvar a Julio César, pero no a costa de pasearme desnudo por las calles de Roma.

Papá piensa que será más fácil encontrar a esos hombres ahora que sé cómo son, y me ha mandado otra vez a buscarlos.

Pues no, de fácil nada. Solo sé que uno de ellos es alto y el otro bajo, pero poco más. Me he pasado todo el día buscándolos.

Pero Sí me he encontrado con alguien conocido: era Linos, el muchacho griego.

Ahora trabaja en la lavandería y en ese momento estaba llevando un gran barreño lleno de orina. Estaba tan lleno que el pipí no paraba de salpicarle la andrajosa túnica. ¡Qué ASCO!

Pipí reciente

Pipí rancio

—Siento que no te compráramos —le he dicho—. Papá nunca quiere pagar las cosas buenas. Hace siglos que le insisto para que me compre un modelo de carro en bronce y como si nada.

—No te preocupes —ha contestado Linos—. Podría ser peor.

—Estás llevando un barreño lleno hasta arriba de orina —he señalado—. No veo cómo podría ser mucho peor.

—Estoy aprendiendo un oficio —me ha dicho—. Ya sé distinguir qué orina lavará mejor solo por el olor. Además, el otro chico al que compraron conmigo tiene que pisotear la ropa en la tina grande. Comparado con eso, lo mío es un lujo.

IV de abril

Esta tarde he ido al anfiteatro. Unos prisioneros han formado delante de Julio César, que ha fruncido el ceño y ha levantado la mano. Los verdugos les han puesto unas cuerdas alrededor del cuello y los prisioneros han empezado a gritar ahogadamente hasta que han caído al suelo sin fuerzas.

A mí me ha parecido una bestialidad, pero el público se ha puesto en pie entusiasmado.

Papá dice que cuando César ve que empieza a perder el apoyo del pueblo siempre hace matar a un par de prisioneros de guerra, porque sabe cuánto le gusta a la gente una buena ejecución.

Después llegó el momento de las luchas.

Las Malas Noticias: Mi nuevo gladiador favorito, Flamma, ha muerto a manos de otro llamado Rutuba.

Las Buenas Noticias: Rutuba lleva un tridente y una red igualitos a los de Triumphus, o sea que mi mosaico vuelve a estar de moda. Solo tengo que cambiar el nombre.

V de abril

Mi padre me ha ordenado que azotara a un esclavo. Considera que Odius, uno de los que lleva más tiempo con nosotros, se ha vuelto perezoso y necesita una buena lección. Por lo general es papá quien se encarga de los azotes, pero hoy estaba ocupado preparando un discurso para el senado.

Cuando le he dicho que estaba demasiado cansado, me ha contestado que dejara de portarme como un cobarde y que asumiera mi responsabilidad.

—A tu edad, a tu hermano le encantaba castigar a los esclavos. A veces lo hacía solo porque le habían mirado raro.

¡Brrr! Garrulus siempre lo hace todo mejor que yo. Papá dice que la primera palabra que pronunció Garrulus fue "lucha", mientras que yo dije "flor", pero a mí me parece que eso se lo inventa.

Garrulus
de bebé

Lerdus de bebé

Había llegado el momento de demostrar a papá que se equivocaba. He cogido el látigo y he llamado a Odius al jardín.

Odius ha salido de las dependencias de los esclavos mordisqueando un trozo de pan seco y rascándose la tripa.

—Me he enterado de que has estado haciendo el vago —le he dicho—. Por eso he de castigarte.

Odius se ha reído por lo bajinis.

—¡Qué bromista eres, Lerdus! Por poco me lo creo.

He sacudido el látigo para que viera que iba en serio. Odius ha puesto cara de pasmo y se le ha caído el mendrugo al suelo.

—¡Por favor, no me azotes! Te prometo que ya trabajaré más —ha lloriqueado.

—Ya no es momento para excusas —le he replicado—. Ha llegado la hora de ser despiadado.

Ojalá pudiera decir que he azotado a Odius, pero he sido incapaz. He visto cómo temblaba todo él y he pensado que había captado el mensaje.

—Bueno —he dicho—. Pues grita tan
fuerte como puedas para que parezca que
te estoy azotando.

Odius ha empezado a berrear tan fuerte
que he tenido que taparme las orejas. Nunca
le había visto esforzarse tanto.

¡No tan fuerte!
Tampoco es que
tenga que matarte.

¡AAAAaaaayyyy!

Después he guardado el látigo y papá me ha felicitado por haber cumplido con mi deber. Al menos a ÉL le ha convencido la actuación de Odius.

Me preocupa no ser lo bastante despiadado para convertirme en un gran héroe romano. A lo mejor tendría que empezar por algo más fácil, como aplastar una rata. Pero ¿y si tiene ratoncitos que se ponen tristes por su muerte?

No es fácil ser despiadado.

VI de abril

¡Magníficas noticias! Papá me deja volver a los entrenamientos. Estaba tan orgulloso de que yo hubiera azotado a Odius que ha acabado cediendo. Mondongus me ha vuelto a aceptar, aunque esta vez ha pedido más dinero para compensar todo el estrés.

¿Qué estrés? Tiene cicatrices de cien batallas en todo el cuerpo. ¿Qué daño podría hacerle yo?

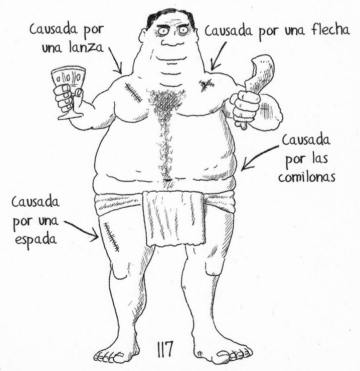

Causada por una lanza

Causada por una flecha

Causada por las comilonas

Causada por una espada

A lo mejor se da
cuenta de que voy
a ser un gran
héroe y teme
desencadenar
mi poder.

VII de abril

Mi padre me ha hecho levantar más
temprano que a los esclavos para mandarme
otra vez a buscar inútilmente a los asesinos.

Al menos el entrenamiento me compensa. Hoy
Mondongus me ha dejado luchar con él. Ha
insistido en ponerse armadura. ¿Qué temía

que le hiciera con la espada de madera?
¿Clavarle una astilla mortal?

De todas formas, tampoco es que la
armadura lo protegiera mucho, porque su
tripa no permitía que las dos partes se
unieran. Las correas quedaban tan tensas
que estaban a punto de romperse.

Al principio Mondongus era muy rápido. En el
primer ataque me ha puesto la espada en el
pecho y ha dicho:
—¡Estás muerto!

Barriga monumental

Me he dado la vuelta, pero él me ha pinchado en los riñones y ha dicho:
—Muerto del todo.

He intentado escabullirme, pero él me ha apoyado la espada en el cuello y ha dicho:
—Muerto y finiquitado.

Al cabo de un rato, Mondongus ha empezado a sudar a mares y a ir más lento. Ha parado un momento para recuperar el aliento y le he pinchado en la barriga con la espada.

NO es que fuera un blanco difícil de acertar, pero de todas formas me he

sentido orgulloso de haber golpeado a una leyenda militar.

Por desgracia, la fuerza del golpe ha hecho eructar a Mondongus. ¡QUÉ ASCO!

Era como una defensa interna para acabar con los enemigos mediante gases que

apestaban a pollo podrido. Yo he retrocedido con los ojos llorosos debido al pestazo. Mondongus ha apoyado la espada en mi pecho y ha dicho:

—Esta vez estás muerto, finiquitado y ENTERRADO.

VIII de abril

Hoy he matado a Mondongus.

Bueno, no es que lo haya matado de verdad, pero le he dado con la espada de madera en todo el pecho, lo que en una batalla de verdad sería la muerte segura.

Al principio Mondongus era muy rápido, pero luego otra vez ha empezado a sudar y a ir más lento. Con mi espada he golpeado la suya con tal fuerza que su arma ha acabado en el suelo.

He introducido la espada en el hueco que le deja la armadura.

—Ahora el muerto eres tú —le he dicho.

—No vale. No llevo la armadura bien puesta —ha replicado Mondongus.

—NO me extraña —le he contestado—. Si quieres abrochártela bien, tendrás que dejar las comilonas durante al menos un mes.

—Tonterías —ha respondido Mondongus—. Además, es bueno tener una capa de grasa; eso te protege en la batalla. Así las espadas no llegan a herirte.

"Sí, claro, y siempre puedes acabar con tus enemigos sentándote encima de ellos", me han entrado ganas de decirle. Pero luego he pensado que si lo decía demasiado alto, a lo mejor acababa muerto de verdad.

IX de abril

Mi padre ha decidido que hoy saldría él a buscar a los asesinos, porque yo no lo hago bien. No sé cómo piensa reconocer unas voces que NUNCA ha oído.

Por mi parte, he ido a mi primera clase de equitación. Cuando Mondongus me ha llevado a los establos, todos los caballos han empezado a encabritarse y a relinchar. He pensado que podía ser un mal augurio, pero luego he visto que los animales solo estaban preocupados por si Mondongus decidía montar en ellos y aplastarlos.

Uno de los caballos tenía la crin hacia delante, igualita que el pelo de Julio César. Me ha parecido una montura digna de un héroe.

—Se llama *Candidus* —ha dicho Mondongus—. Buena elección. Monta.

Igual

Era la primera vez que montaba y no sabía cómo subirme. Mi cabeza quedaba a la altura de su lomo. ¿Cómo se suponía que iba a saltar a la altura de mi cabeza y sentarme ahí?

Me he colgado al lomo de *Candidus* y he intentado subir las piernas, pero sin querer le he dado una patada al caballo y ha echado a correr.

Mondongus ha perseguido al caballo y lo ha traído de vuelta. Ha intentado sostenerme un pie mientras yo pasaba el otro por encima del lomo de *Candidus*. Me he esforzado mucho mientras Mondongus me empujaba hacia arriba con todas sus fuerzas. Finalmente he conseguido subir la otra pierna y he montado.

¡Por fin era un noble caballero en su corcel! Estaba listo para entrar en batalla. Pero estaba mirando en la dirección equivocada.

Mondongus me ha bajado y ha dicho que mañana sería otro día.

X de abril

Hoy Mondongus ha llamado a tres esclavos. Uno era muy bajito, el otro muy alto, y el tercero de estatura normal.

Ellos se han inclinado al lado de Candidus para formar una especie de extraña

escalera humana para que yo pudiera subirme. Un poco penoso, pero me entusiasmaba tanto la idea de montar a caballo que no me ha importado.

He golpeado con los talones y hemos empezado a avanzar. Mondongus me ha enseñado a controlar a *Candidus* con las riendas y hemos trotado por el campo.

He estado montando todo el día, mientras Mondongus daba cuenta de una gran fuente de hígados de ganso. Al final ha dicho que se me daba muy bien montar a caballo y yo he sonreído de orgullo.

Cada día estoy más cerca de convertirme en un insigne héroe romano. Ahora solo tengo que atrapar a los asesinos, salvar Roma y crecer tanto como mi hermano.

Los esclavos han tenido que formar otra vez la escalera humana para que yo pudiera desmontar. Le he pedido perdón al más alto, pero me ha dicho que no era nada.

También me ha dicho que una vez
Mondongus se le subió encima para montar a
Candidus y que pesaba tanto como el
caballo. Comparado con Mondongus, yo era
una pluma.

¡Uch!

XI de abril

Hoy no he tenido que salir a buscar por ahí, hemos ido a las carreras de carros. Debido al cargo de papá, nos hemos sentado en los asientos de mármol de la primera fila. Hay gente que tiene que levantarse muy temprano para hacer cola y así conseguir un buen asiento, pero nosotros podemos ir cuando queremos y siempre tenemos los mejores sitios.

Justo cuando nos sentábamos, se han abierto las puertas y los carros han salido con estruendo.

Después de las clases de hípica, respeto más a los conductores de carros. Si ya me parece difícil controlar un caballo, llevar a cuatro por todas esas curvas de la pista tiene que ser dificilísimo.

Nosotros vamos con el equipo blanco, pero por lo visto los nuestros nunca ganan. Le he preguntado a papá si no podemos cambiar de equipo, pero me ha dicho que los buenos aficionados a los carros son los aficionados leales. Hoy ha habido doce carreras de carros, y los blancos no han ganado NINGUNA.

¡Uch!

Ha faltado poco para que ganáramos la última, pero al final el equipo azul ha llegado el primero.

Algunos de nuestros partidarios han acusado a los del equipo azul de haber echado una maldición a nuestro carro y se ha desatado una batalla campal en las gradas.

Como premio por haber ganado, uno de los caballos del equipo azul ha sido sacrificado en honor a Marte... Pues menudo premio. Si

yo fuera uno de esos caballos, haría lo que fuera por PERDER.

XII de abril

Hoy, entrenamiento de resistencia.

XIII de abril

Ayer por la noche estaba tan cansado que no pude escribir nada. Mondongus dijo que los legionarios tienen que andar veinte millas cada día con todo el equipo. Y decidió que iba a enseñarme a hacerlo.

Quería que durante la marcha yo llevara una mochila toda llena, pero cuando me la puse ni siquiera podía tenerme en pie, o sea que al final me dijo que la llevara vacía.

Empecé a dar vueltas por el campo hasta que noté un dolor insoportable en las piernas, los brazos y la espalda. A la hora del almuerzo, Mondongus trajo una bandeja de lirones en miel. Yo pensaba que me diría que parara un poco para comer, pero no: me ordenó que siguiera andando.

Cada vez que pasaba por delante de la bandeja llena de deliciosos lirones, me sonaba el estómago.

Cuando Mondongus terminó, dejó la fuente en el suelo y empezó a hurgarse la nariz. ¿Estaría buscando el postre? Después de un rato, incluso la visión de los mocos de Mondongus hacía que me sonara el estómago. ¡Qué HAMBRE!

A media tarde estaba tan cansado que hasta veía puntitos negros. Cada vez que pasaba junto a Mondongus, le preguntaba si podía parar y él me contestaba cosas como estas:

135

Seguí marchando hasta la puesta de sol.

Un criado de Mondongus le llevó para cenar tres buenas bandejas llenas de pollo, pero a mí no me dio ni un PEDACITO.

Si hasta parecía que le costaba acabarse toda esa comida, y cuando terminó, estaba tan sudoroso como yo.

Cuando se hizo de noche, se me doblaron las piernas y me caí hecho un guiñapo. Mondongus vino a darme un golpecito con la sandalia.

—Ya está bien por hoy —dijo—. No ha estado mal, Lerdus.

Cuando al final llegué a casa, papá había organizado otra fiesta de las suyas. Por lo general, todo el griterío y el ruido de los vómitos no me deja dormir, pero esta vez caí como un tronco.

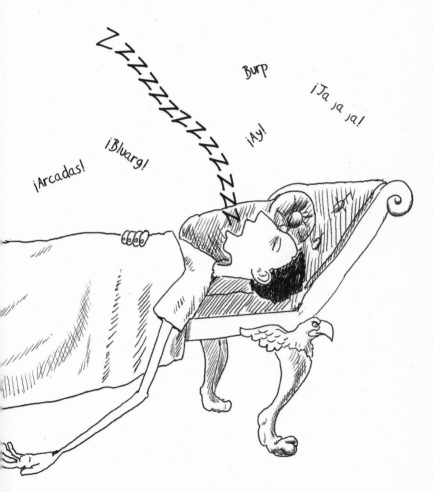

XIV de abril

Hoy ha pasado una cosa curiosa. Cuando he ido a ver a Mondongus, me ha dicho que ya no podía entrenarme más y que me marchara a casa.

He andado por ahí, intentando entender por qué ya no quería darme más clases. Luego me he acordado de lo que me dijo en la sesión de resistencia: "Un verdadero héroe romano nunca se rinde, sin importar lo que digan los demás."

¡Ah, eso formaba parte de mi entrenamiento! Mondongus solo quería ver si mi actitud era la de un verdadero

Vaya, vas a ser un gran héroe, Lerdus.

héroe. Mañana pienso volver a EXIGIRLE más clases.

XV de abril

Cuando esta mañana he ido a ver a Mondongus, su criado me ha dicho que no estaba en casa. Yo sabía que no era verdad, porque se oía la voz de Mondongus en el huerto, así que me he encaminado disimuladamente hacia la puerta de atrás.

Dos hombres estaban hablando con Mondongus. Uno tenía la voz muy aguda, y el otro, muy grave.

¡LOS ASESINOS! He ido corriendo a la puerta y he mirado por entre las tablas.

En efecto, eran ellos. Pero ¿cómo podría avisar a Mondongus de que se estaba mezclando con unos criminales tan malvados?

Enseguida comprendí que eso no sería necesario.

—Calvete acaba de salir de su villa con solo dos guardias —ha dicho el tipo de la voz aguda—. Si lo hacemos ahora, no habrá nadie más. Es nuestra oportunidad.

—Nosotros nos ocuparemos de los dos guardias mientras tú te encargas de Calvete —ha explicado el de la voz grave.

—Vale —ha dicho Mondongus—. Pero no
será fácil liquidar a ese cerdo. Cuando
acabéis con los guardias tendréis que venir a
ayudarme.

He oído que se dirigían a los establos y que
montaban en sus caballos. Los cascos han
retumbado en el huerto y la puerta se ha
abierto. Yo me he pegado a la tapia y he
visto que se alejaban galopando.

Al principio he intentado convencerme de que todo eso era una especie de prueba, pero los hechos hablaban por sí mismos. Mondongus formaba parte de la conspiración para asesinar a Julio César, y yo era el único que lo sabía.

He pensado en salir corriendo hacia el senado para contárselo a mi padre. Pero aunque hubiese logrado llegar hasta los guardias y convencerlos de que me dejaran pasar, habría sido demasiado tarde para salvar a César.

No: si quería evitar esa muerte, tenía que hacerlo yo solo. Eso implicaba enfrentarme a un ex ¡Para! soldado y a dos asesinos a sueldo. Tenía tantas probabilidades de conseguirlo como un lirón que quisiera detener un carro.

Pero debía intentarlo. Y si moría procurando salvar a César, al menos seguro que entraría en los Campos Elíseos. Sería el mayor héroe de todos los tiempos.

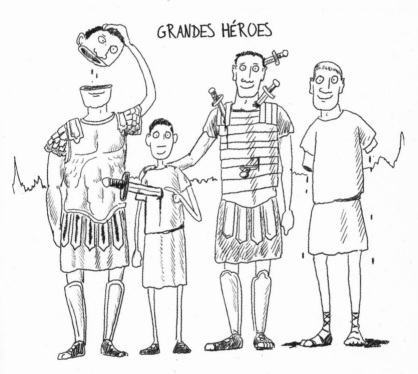

GRANDES HÉROES

He corrido a los establos. Gracias a los dioses, Candidus estaba allí. Lo he sacado de su cuadra, pero ¿cómo iba a montar en él yo solo? No era cuestión de pedir a los esclavos que me ayudaran a robar el caballo de su amo.

En ese momento, Candidus ha ido hasta el otro extremo del huerto y se ha parado debajo de un árbol. ¡GENIAL!

He trepado al árbol, me he arrastrado por una rama y me he dejado caer sobre el lomo de Candidus.

Dos criados han salido a ver qué pasaba, yo he apretado las piernas contra los flancos del caballo y hemos salido a la carrera.

He levantado el puño y he soltado un grito de guerra mientras galopábamos. Luego me he dado cuenta de que no tenía la menor idea de adónde me dirigía y me he callado.

RRRRROOOOAAARRRRR   ... oh.

Desde lo alto de una colina he visto un sendero por el que avanzaba un carro. Al acercarme he visto que había un muchacho sentado en la parte de atrás. Era Linos, el chico griego, que viajaba entre dos barreños llenos de orina.

He hecho una señal al conductor del carro, que ha frenado enseguida. Linos me ha mirado.

—Soy yo, Lerdus —le he dicho—. El que
tiene un padre demasiado tacaño para
comprarte. Oye, necesito llegar a la villa de
César. ¿Sabes dónde está?

—¿La villa de quién?

—Pero ¿cómo es posible que no sepas quién
es Julio César? Es la persona más famosa
del mundo. Lleva un peinado parecido al de
este caballo y hojas en la cabeza.

Linos se ha quedado un momento pensando.

—¡Ah, sí! —ha dicho—. Ya sé quién es. He
recogido su orina unas cuantas veces. De
primera calidad. Debe de llevar una dieta
muy variada.

—¿Dónde vive?

Linos ha señalado a un punto detrás de mí.

—En esa colina.

—Perfecto —he dicho—. Ahora escúchame bien. Hay unos hombres que quieren asesinar a Julio César, y yo voy a impedírselo. Aunque no lo consiga, al menos tendré una muerte digna de un héroe. Por eso te pido por favor que vayas al senado para decirle a mi padre que he encontrado a los dos hombres que estaba buscando y que he hallado una muerte heroica. ¿Me has entendido?

Linos parecía un poco aturdido, pero luego ha asentido y yo he salido a toda prisa hacia donde me había indicado.

Al pie de la colina había un riachuelo.

—Sáltalo, *Candidus* —he gritado, convencido de que me entendería.

Candidus se ha parado de golpe delante del arroyo y yo he caído en el agua.

Mientras yo me zambullía, el caballo se ha alejado para pastar un poco de hierba. No me ha quedado más remedio que abandonar a ese estúpido animal y seguir a pie.

He corrido hacia la cima de la colina tan rápido que ha empezado a dolerme el costado. Pero luego he recordado lo que me había dicho Mondongus: "Un verdadero héroe romano nunca abandona."

Desde luego, de haber sabido que yo iba a utilizar su consejo para atacarlo a él, seguramente habría dicho: "Un verdadero héroe romano sabe que no ha de meterse en líos y prefiere marcharse a casa tan campante."

Al final he visto la mansión. Un guardia estaba en el suelo ante la puerta principal, boca abajo en un charco de sangre.

Era demasiado tarde para salvarlo a él, pero ¿y para salvar a César?

Desde el interior me han llegado gritos y el ruido de una pelea.

He pasado por encima del cuerpo del guardia. Lo habían apuñalado sin darle tiempo siquiera a sacar la espada. Si habían acabado tan fácilmente con un guardia tan entrenado, ¿qué fin me esperaba a mí?

He prescindido de eso. TENÍA que intentarlo. He sacado la espada del guardia de su funda y la he enarbolado mientras entraba.

Algo se movía en el otro extremo del atrio. El hombre alto y el bajo tenían acorralado al otro guardia de César.

El guardia se ha vuelto a la izquierda, a la derecha, a la izquierda otra vez, blandiendo la espada, pero no ha logrado detener a ninguno de los dos atacantes.

El hombre alto ha arremetido contra él y ha hundido su arma en la espalda del guardia, que con un grito ha soltado la espada.

El hombre bajo le ha clavado la espada en el pecho y el guardia ha caído al suelo, retorciéndose y boqueando como un pescado en la tabla del pescadero, y de hecho esa era su situación.

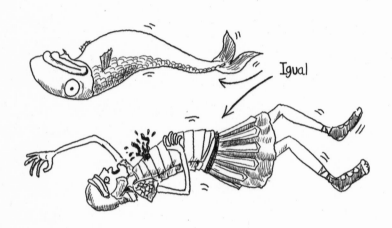

Igual

Al otro lado del atrio, casi arrinconado ya contra la pared, Julio César intentaba mantener a raya a Mondongus, que avanzaba hacia él con el arma en la mano.

Los laureles de César se habían caído al suelo y el pelo se le había alborotado, dejándole la cabeza al descubierto. A lo mejor lo que intentaba era deslumbrar a Mondongus con el brillo de su calva.

Brillo de la espada

Brillo de la calva

Y en ese momento, Mondongus me ha visto.

—Largo de aquí —ha gritado—. Esto es un asunto de mayores. No quiero tu ayuda.

—NO he venido para ayudarte —le he contestado—, sino para detenerte.
Soy un gran héroe romano y exijo que te rindas.

He intentado decirlo en tono contundente, pero solo me ha salido un hilito de voz. Me sudaban tanto las manos que se me ha caído la espada y he tenido que rebuscar por el suelo para encontrarla.

Mondongus ha sacudido la cabeza entre carcajadas, lo cual ha dado a César un segundo de ventaja. Ha atacado a Mondongus y le ha clavado la espada en toda la tripa. Mi tutor ha caído al suelo como un elefante herido.

Los asesinos se han abalanzado sobre César. Él se ha defendido luchando contra los dos

a la vez, esquivando golpes y arremetiendo
con una velocidad increíble. Sorprendente
para un hombre de su edad.

—No os acerquéis a nuestro noble líder —he
gritado, mientras cruzaba el atrio a la
carrera.

Mondongus se ha revuelto en el suelo y me ha cerrado el paso. Se sujetaba la herida con una mano, y parecía aún más pálido y sudoroso que cuando se zampó las tres bandejas de pollo.

Me ha atacado con la espada, pero yo lo he esquivado.

—Gracias por las clases de defensa —le he dicho—. Y también por las de combate.

Eso habría sido un comentario muy agudo si hubiese sido capaz de clavarle la hoja precisamente entonces. Por desgracia, no le ha costado nada atajar mi ataque.

—¿Crees que podrás vencer a tu maestro después de unas pocas lecciones? —ha dicho Mondongus, riéndose—. ¿Cuántas veces te

habré matado ya? ¿Cincuenta? ¿Cien? Ahora
solo tengo que acabar contigo de una vez
por todas.

Mondongus tenía razón. Contaba con años de
experiencia en cien batallas, mientras que
yo solo había hecho unas cuantas horitas de
entrenamiento. Pero si seguía moviéndome, él
se cansaría. Eso me daría una oportunidad.

Mondongus ha atacado de nuevo y yo he retrocedido. Por desgracia, he resbalado en un charco de sangre y me he caído de espaldas. Mondongus ha venido hacia mí y se ha dispuesto a clavarme la espada en el pecho.

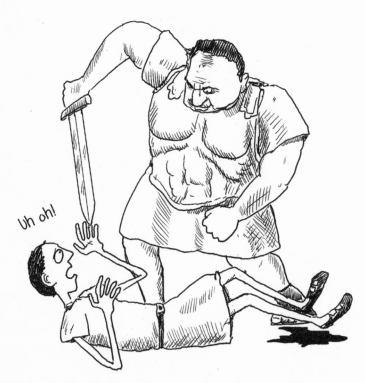

Uh oh!

—Ahora sí que estás muerto, acabado, finiquitado y enterrado DEL TODO —ha dicho.

He mirado la espada, esperando que se clavara profundamente en mi corazón. Ya está, he pensado. Un momento de agonía y enseguida veré las negras aguas del río Estigio.

No me daba miedo sentir dolor. De verdad que no. Pero me preocupaba mucho no poder entrar en los Campos Elíseos por no haber logrado salvar a César.

He cerrado los ojos y he apretado los dientes.

No ha pasado nada.

He abierto los ojos y he mirado a Mondongus. He creído que iba a decir algo, pero todo lo que ha salido de sus labios ha sido una bocanada de sangre.

En su estómago ha asomado la punta de una espada y se ha derrumbado encima de mí. Una nube final de aliento a pollo ha escapado de la boca de Mondongus y se ha quedado inmóvil.

He visto que todo eso de que la grasa es una protección no tiene ningún sentido.

Nube tóxica

Me ha llegado el ruido de unas sandalias sobre las losas, pero no veía nada de nada. El cuerpo de Mondongus me aplastaba contra el suelo y me impedía moverme.

He oído el entrechocar de espadas y un grito de muerte, pero no sabía de quién. He chillado pidiendo ayuda y en ese momento me ha llegado una voz que conocía de sobra.

—Está bien, Lerdus. Enseguida te saco.

Era papá.

Otro grito y, luego, el silencio.

He visto los pies de mi padre acercándose a mí. Ha apartado el cuerpo de Mondongus y por fin he podido mirar lo sucedido.

El hombre alto y el bajo yacían en el suelo, atravesados por sendas espadas. Saltaba a la vista que no tardarían en volver al cementerio, pero no precisamente para mantener una reunión clandestina.

Mi padre y César tenían las togas manchadas de sangre, pero se encontraban bien.

—Me has salvado la vida, muchacho —me ha dicho César, antes de volverse hacia papá—. Tu hijo es un gran héroe romano, Gluteus Maximus.

¡VAYA! Espero que los jueces del más allá estuvieran escuchando. ¿Habéis oído, chicos?

César ha dicho que soy un gran héroe.
¡Ahora sí que tengo asegurado un sitio en los
Campos Elíseos!

César ha recogido la corona de laurel del
suelo y ha vuelto a peinarse hacia delante.

—No le cuentes a nadie mis problemas
capilares —me ha pedido.

Bueno, pues vale. Como si ese absurdo truco
de peinarse hacia delante pudiera engañar
a alguien.

He registrado a Mondongus y le he cogido una moneda.

—Es para pagar al barquero que ha de llevarte al otro lado del río Estigio —he dicho, poniéndole la moneda bajo la lengua—. Ya sé que has intentado matarme, pero has sido un buen maestro, y de verdad deseo que vayas a los Campos Elíseos. Procura no hundir la barca mientras cruzas.

XVII de abril

Ayer no escribí nada porque me pasé el día repitiendo mi historia una y otra vez ante los senadores.

César parecía sorprendentemente tranquilo, pero todos los demás estaban de los nervios. Los senadores me preguntaron muchas veces si los asesinos habían mencionado a alguna otra persona que estuviera implicada en el complot.

No sé muy bien si lo que querían era llegar al fondo del asunto, o si más bien estaban preocupados por si sus nombres habían salido en algún momento.

Al final me dejaron ir. A papá no le he visto hasta esta tarde. Me ha contado que cuando el otro día estaba en el senado, un chico con un barreño lleno de orines entró corriendo.

Normalmente nadie puede entrar en el senado, pero los guardias estaban tan asqueados por la peste que no consiguieron impedirle el paso.

Linos le dio a mi padre un extraño mensaje sobre que había unos hombres en la mansión de César, y papá decidió investigar.

Pidió a algunos de sus compañeros senadores que lo acompañaran, pero al ver que no le hacían caso, montó en su caballo y se fue él solo a la villa. Llegó justo a tiempo para salvarme de Mondongus y ayudar a César.

Mi padre me ha dicho que fui muy valiente al perseguir a los asesinos. Yo esperaba que añadiera algo como "Tu hermano los habría matado a todos sin mi ayuda", pero no.

En cambio mamá solo parecía preocupada por las manchas de sangre en la toga de papá.

—Mira esto —ha dicho—. Habrá que emplear una orina de las caras para quitarlo todo.

—¿No te importa que haya salvado Roma? —le he preguntado.

—Pues claro que sí, Lerdus Cariñitus —me ha dicho—. Lo has hecho muy bien. Pero si hubieses corrido peligro de verdad, las gallinas nos habrían advertido de ello.

He preferido callarme. Es evidente que mamá se preocupa más por sus gallinas que por mí. Ya le diré que les mande proteger a nuestro glorioso líder la próxima vez que esté en un apuro.

XVIII de abril

Esta tarde papá me ha llevado al foro. Me ha dicho que eligiera un premio por haber salvado a César, pero no he visto nada que me gustara.

He mirado el carro de bronce que tanto había pedido, pero ya no lo quería tanto. Ni siquiera las carreras de carros son lo mismo cuando has hecho una auténtica heroicidad.

He pasado por delante de una subasta de esclavos y me he detenido. NO podía creerlo. Linos estaba OTRA VEZ en venta.

—¿Qué ha pasado? —le he preguntado.

—Mi amo quiere librarse de mí porque abandoné mi trabajo —me ha dicho Linos.

—¿No le explicaste que fue por una cosa muy importante? ¿No le dijiste que sin ti Roma habría caído en el caos más absoluto?

—Lo intenté —ha dicho Linos—. Pero me contestó que el caos era bueno para el negocio. Con el baño de sangre, muchas togas se mancharían, y eso para él es una ventaja.

He vuelto con papá y le he dicho que ya sabía qué quería. No le ha gustado mucho que le pidiera un esclavo, pero ha mantenido su palabra y ha comprado a Linos.

Y justo a tiempo, porque en ese momento un tipo de una cantera estaba examinando a Linos. De no ser por nosotros, se lo habría llevado.

Linos ha venido a casa con nosotros y me he pasado toda la noche contándole cómo me ayudó a salvar Roma.

Y a Linos le encanta que le cuente cosas, no como los otros esclavos desagradecidos. ¡No se cansa de escucharme!

Si papá no hubiese sido tan tacaño la otra vez, haría tiempo que tendría alguien con quien hablar.

XIX de abril

Increíbles noticias. Cesar me deja participar en el desfile de mañana.

Él irá en un carro dorado ante toda la gente y, como premio por haberle salvado la vida, ha dicho que papá y yo podemos seguirle en nuestro carro.

Mañana será el MEJOR día de toda mi vida.

Papá ha entrado en mi habitación esta noche y me ha preguntado qué me pondría. ¿Qué? ¿No sabe que siempre llevo mi túnica, excepto cuando la han llevado a lavar con meados?

Pero entonces ha sacado una toga. Mi PRIMERA toga. De hecho, me faltan un par de años

para eso, pero mi padre me ha dicho que
he demostrado estar preparado.

¡Caray! Las togas pesan mucho, y son muy
difíciles de poner.

Mal

Mal

Mal

¡BIEN!

Al final le he pillado el tranquillo, pero el brazo izquierdo me duele horrores. Aunque no me importa: ahora soy un héroe. Logré sobrevivir a la punzada en el costado cuando iba corriendo para salvar a César, o sea que sin duda soportaré esa pequeña molestia en el brazo.

XX de abril

Aunque solo hubiese estado entre el público, el desfile de hoy ya habría sido magnífico, pero verlo todo desde el carro ha sido INCREÍBLE.

Había MUCHÍSIMA gente. Todos habían salido a las calles y se apiñaban para vitorear, saludar y tirar flores.

Delante de todo iba un grupo de senadores con tres bueyes blancos.

Después iba César, en un carro dorado tirado por caballos blancos. Detrás de él había un esclavo. Papá me ha dicho que su misión era recordar a César que solo era

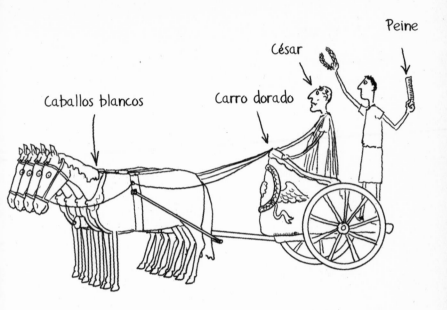

Caballos blancos

Carro dorado

César

Peine

humano, no un dios. A mí me parece que en realidad su misión era impedir que el viento despeinara a César y no dar a la muchedumbre motivos para echarse unas risas.

Después venía un montón de animales: elefantes y unas criaturas rarísimas con el cuello muy largo llamadas "jirafas". Una vez Cornelius ya me habló de estos animales, pero yo pensé que solo era otra de sus bromas, como cuando me habló de

ratones gigantes asesinos y de ovejas con
tres cabezas.

Jirafa:
real

Ratón gigante
asesino: no real

Oveja con tres
cabezas: no real

Luego he visto a Cornelius y Gaius en una
esquina. Los he saludado con la mano, y
ellos se han quedado con la boca más que
abierta. Cornelius ha corrido hacia las
primeras filas para ver si de verdad era yo,
pero ha resbalado con una caca de mula y
se ha caído encima.

Al final nos hemos dirigido hacia la colina
Capitolina, al templo de Júpiter, donde un
sacerdote ha sacrificado a los bueyes. Yo
tenía ganas de volver enseguida a casa
para contárselo todo a Linos, pero papá me
ha dicho que primero tenía que ver a una
persona.

Me ha llevado hacia unos soldados
que estaban al pie de la
escalinata del templo.
Uno de ellos se ha vuelto
y me ha sonreído.
Increíble: era
Garrulus.

Niiieeeecc

Me ha abrazado y
me ha dicho que ya
se había enterado
de que yo era un
gran héroe romano.
¡No podía sentirme
MÁS orgulloso!

XXI de abril

Garrulus se quedará unos días con nosotros, mientras su legión está de permiso. Me he pasado todo el día en el jardín, escuchando sus batallitas.

Esta noche, para celebrar el regreso de Garrulus, celebraremos un banquete, y pienso atracarme de ubres de vaca, calamares rellenos de sesos de ternera, hígados de ganso y lirones en miel.

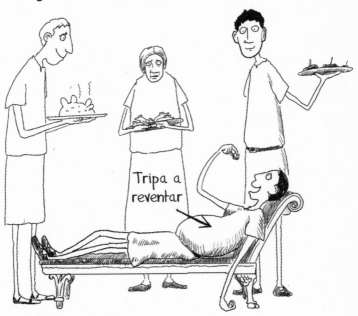

Tripa a reventar

XXII de abril

La fiesta de anoche fue fantástica, y me quedé levantado hasta el final.

Acababa de llenarme el plato con un montón de comida deliciosa, cuando papá se metió una pluma en la garganta y devolvió en su bacinilla. Parte del vómito cayó en mi plato, o sea que tuve que tirarlo todo y volver a empezar.

Comida deliciosa

Tropezones
no deseados

En vista del éxito, me quedé comiendo en un rincón, a salvo de cualquier tropezón intempestivo.

Esta mañana papá, Garrulus y yo nos hemos quedado en el jardín, charlando de cosas de héroes, hasta que mamá ha llegado hecha un mar de lágrimas.

—Mi sacerdote ha vaticinado que el año que viene, en los Idus de marzo, ocurrirá una gran tragedia.

Los dioses sabrán por qué se preocupa tanto ahora por eso. Aún faltan siglos para los

Idus de marzo, y para entonces seguro que esa gran "tragedia" se habrá solucionado por sí sola.

Tiempo al tiempo. Ya veréis como en los Idus de marzo no pasa nada malo...

185

Palabras romanas peliagudas

Como Lerdus escribió su diario en el año 45 a. C., es posible que algunas palabras referidas a la vida romana os resulten desconocidas. Aquí tenéis algunas explicaciones que pueden seros de ayuda:

Anfiteatro: Edificio ovalado o circular donde los romanos asistían a diversiones espeluznantes, como luchas de gladiadores o espectáculos con fieras salvajes.

Atrio: Dependencia principal de la casa romana. A diferencia de las salas de estar actuales, era un espacio descubierto, tenía un pequeño estanque y no había fotos bochornosas de cuando eras bebé.

Augurio: Predicción del futuro. Los antiguos romanos tenían todo tipo de ridículas teorías acerca de gallinas sagradas y de vísceras de cerdo. En la actualidad la gente es mucho más sofisticada y se guía por el horóscopo.

Bárbaros: Nombre que los romanos daban a todo aquel que no era romano. Para ellos los extranjeros eran seres apestosos y sin civilizar, solo porque tenían culturas e idiomas distintos a los suyos. No obstante, es cierto que algunos extranjeros masticaban con la boca abierta.

Campos Elíseos: El sector más selecto del más allá romano. Venía a ser como una zona VIP, excepto que para entrar habías de ser un héroe muerto, no un futbolista o un famosillo de un *reality show*.

Diezmado: Un castigo militar que consistía en elegir a un soldado al azar entre diez, para que los otros nueve lo mataran. Si alguien emplea la palabra "diezmado" para indicar "aniquilado" se equivoca... y debe ser aniquilado.

Foro: Gran plaza del mercado donde los habitantes de las ciudades romanas podían ir a comprar y a relacionarse con sus vecinos. También podían mantener absurdas discusiones con gente a la que no conocían de nada, por eso las páginas de Internet donde la gente discute reciben el mismo nombre.

Gladiadores: Despiadados luchadores que se enfrentaban unos a otros, a veces en combates a muerte, como espectáculo. En general los gladiadores eran esclavos o prisioneros de guerra, aunque algunos al final recibían la libertad. Muchos de estos luego eran entrenadores en escuelas de gladiadores, donde se mostraban mucho más despiadados que, pongamos, los profesores de hoy en día.

Idus de marzo: 15 de marzo. Fecha muy importante en la historia romana porque... bueno, digamos solo que el sacerdote de la madre de Lerdus no siempre se equivocaba.

Julio César: Gran líder romano, genio militar, escritor y calvo. César fue nombrado "dictador por diez años" poco antes de que Lerdus empezara su diario.

Mosaico: Dibujo formado con gran cantidad de piececitas de piedra, cristal o cerámica.

Senado: En la Antigua Roma, políticos elegidos por los ciudadanos. A diferencia de lo que ocurre en la actualidad, los políticos de entonces eran conspiradores, despiadados y violentos. Perdón, debería decir: "Al igual que ocurre en la actualidad, los políticos de entonces eran conspiradores, despiadados y violentos."

Toga: Prenda de lana que llevaban los ciudadanos romanos y que pesaba bastante. En la actualidad se celebran también fiestas de togas, aunque hoy en día estas prendas suelen ser de algodón ligero y en esos saraos no se realizan sacrificios rituales.

Villa: Mansión lujosa, muchas veces con calefacción central.

SOBRE LOS NÚMEROS ROMANOS

En la Antigua Roma no se empleaban los mismo números que hoy en día. Los romanos contaban mediante una combinación de las letras I, V, X, L, C, D y M. Los números romanos siguen usándose en los relojes finos y en las secuelas de películas.

Aquí tenéis una guía:

1 = I	12 = XII
2 = II	13 = XIII
3 = III	14 = XIV
4 = IV	15 = XV
5 = V	16 = XVI
6 = VI	17 = XVII
7 = VII	18 = XVIII
8 = VIII	19 = XIX
9 = IX	20 = XX
10 = X	21 = XXI
11 = XI	22 = XXII

23 = XXIII	50 = L
24 = XXIV	60 = LX
25 = XXV	100 = C
26 = XXVI	200 = CC
27 = XXVII	500 = D
28 = XXVIII	1.000 = M
29 = XXIX	1.500 = MD
30 = XXX	2.000 = MM
40 = XL	2.020 = MMXX